Nous remercions le ministère du Patrimoine canadien,
la SODEC et le Conseil des Arts du Canada
de l'aide accordée à notre programme de publication

Patrimoine canadien	**Canadian** Heritage

Conseil des Arts du Canada	**Canada Council** for the Arts

ainsi que le gouvernement du Québec
– Programme de crédit d'impôt
pour l'édition de livres
– Gestion SODEC.

Nous reconnaissons l'aide financière
du gouvernement du Canada
par l'entremise du Programme d'aide au développement
de l'industrie de l'édition (PADIÉ) pour ce projet.

Illustration de la couverture
et illustrations intérieures:
Paule Trudel

Couverture:
Conception Grafikar

Édition électronique:
Infographie DN

Dépôt légal: 1er trimestre 2007
Bibliothèque nationale du Canada
Bibliothèque nationale du Québec

1234567890 IML 0987

ÇA VA ÊTRE TA FÊTE

DE LA MÊME AUTEURE
AUX ÉDITIONS PIERRE TISSEYRE

Collection Sésame

Arrête deux minutes!, roman, 2003.

**Catalogage avant publication
de Bibliothèque et Archives Canada**

Piché, Geneviève

    Ça va être ta fête

    (Sésame ; 96)
    Pour enfants de 6 à 9 ans.

    ISBN 978-2-89633-004-1

    I. Trudel, Paule. II. Titre III. Collection:
    Collection Sésame ; 96.

PS8581.1243C32 2007   jC843'.6   C2006-941662-1
PS9581.1243C32 2007

Geneviève Piché

ÇA VA ÊTRE
ta fête

roman

**ÉDITIONS
PIERRE TISSEYRE**

5757, rue Cypihot, Saint-Laurent (Québec) H4S 1R3
Téléphone : 514 334-2690 – Télécopieur : 514 334-8395
Courriel : ed.tisseyre@erpi.com

*À toi, Nicole,
parce que je t'aime…
tout simplement.*

1

À QUATRE-VINGT-QUARANTE ANS

—**S**'iiiiiiil te plaît, maman, dis oui, dis oui, dis oui…

— Frédéric, on ne parle pas la bouche pleine!

J'avale d'un coup ma bouchée de spaghettis. J'implore à nouveau ma mère en lui faisant les yeux doux. Assise en face de moi, elle mastique sans m'accorder la moindre attention.

Je change de tactique. Je me précipite sous la table, je m'agenouille à ses pieds et je tente de la convaincre :

— Maman, je t'en prie. Je suis le seul au monde à n'avoir jamais invité personne !

Je sens qu'elle commence à fléchir. Je poursuis :

— Je pourrais me faire des tas d'amis !

Ma sœur gigote sur sa chaise. Je tente d'esquiver ses coups de pieds. Des pâtes atterrissent dans mes cheveux. La chipie doit sûrement faire exprès. Je m'efforce de rester calme.

— Je vais être capable de me contrôler. S'il te plaît, mamaaaaaaaan…

—Ça suffit, Frédéric! Viens terminer ton repas.

Je regagne ma place en me retenant de pincer le mollet de ma sœur. Je fourrage dans mon assiette. J'ai l'appétit coupé. Des sanglots me serrent la gorge.

—Que dirais-tu d'inviter ton cousin? propose ma mère.

Je ne réponds pas.

— Ou le nouveau voisin ?

Cette fois, j'éclate.

— Tu ne comprends rien ! Je veux une VRAIE fête, maman. Une fête avec plein d'amis !

Des larmes coulent sur mes joues. Mes parents prétendent que je ne parviens jamais à me tenir tranquille. Ils ne voient pas tous les efforts que je fais. Je leur demande depuis que je suis tout petit de m'organiser une fête. Et chaque année, ils refusent en me donnant la même excuse : « Quand tu seras plus vieux, Frédéric. »

À les écouter, même à quatre-vingt-quarante ans, je serai encore trop jeune ! Ma mère s'estime chanceuse d'avoir survécu à mes anniversaires.

Elle raconte que j'ai lancé un gâteau à pleines poignées sur les invités. Et qu'engager un clown a été une très mauvaise idée. J'ai soufflé mes bougies si fort qu'elles ont mis le feu à sa perruque. Ma marraine a dû lui verser le litre de lait sur la tête. C'était, de loin, le meilleur du spectacle! Mais ça n'a fait rire personne. Les adultes prennent la vie trop au sérieux.

Une année, mes parents m'ont amené à la foire. J'ai échappé à leur surveillance pour grimper au sommet de la grande roue. Quand j'ai crié: «papa, je suis le roi du monde!» il a failli s'évanouir. On a dû lui donner de l'oxygène pendant que je redescendais.

Reste que l'an dernier, lorsque nous sommes allés en famille au restaurant, j'ai réussi à me contrôler. Le serveur a promis un repas gratuit à mes parents si j'arrêtais de sauter sur les chaises: et j'ai relevé le défi! Alors, pourquoi refusent-ils encore de me faire confiance?

Dans dix jours, ce sera mon anniversaire. Pet de cacahouète! Le temps presse!

UNE IDÉE DE FILLE

Ce matin, je quitte la maison en claquant la porte. Ma mère m'accroche sur le perron :

— Frédéric, es-tu certain de ne rien oublier ?

Je récupère mon sac d'école et je dévale l'escalier.

— Frédéric, il ne te manque rien d'autre ?

Je remonte les marches en bougonnant. Ma mère me tend mon sac à lunch. Elle en profite pour me bécoter. Ouach! Je m'essuie la joue.

— Frédéric…

Quoi, encore! Je me retourne, exaspéré.

— Bonne journée, mon grand!

Je lui lance un regard noir et je poursuis mon chemin en boudant. Comme tous les jours, Aurélie m'attend au coin de la rue. Avant, c'était ma pire ennemie. Je rêvais de la servir en collation à un banc de piranhas.

Mais une fois, je l'ai surprise à pleurer. On s'était moqué d'elle. Elle avait l'air si triste! J'ai deviné qu'elle aussi se sentait rejetée. Je lui ai d'emblée proposé de devenir son ami. Depuis, elle a cessé de m'embêter. C'est maintenant ma

meilleure copine. En fait, c'est ma seule amie.

— Ça ne va pas, Frédéric ? me demande-t-elle.

Je ne réponds pas. Je BOUDE!

— Tu as encore été puni ?

Le problème avec les filles, c'est qu'elles veulent tout savoir. Si je ne lui dis rien, elle va penser que je ne suis plus son ami. Je n'ai pas le choix. Je marmonne :

— Ma mère ne veut toujours pas que j'invite des copains à ma fête.

Aurélie se penche vers moi, pensive. Subitement, son visage s'illumine :

— On n'a qu'à organiser ta fête chez moi ! J'inviterai mes cousines, on se déguisera et…

Je m'imagine, unique garçon au milieu d'une meute de filles qui me barbouillent de rouge à lèvres… Beurk! L'idée me fait grimacer de dégoût. J'en frissonne. Aurélie poursuit son babillage sans se soucier de moi.

— … je me chargerai de tout. Tu n'auras qu'à faire les dessins sur les cartons d'invitation. Je suis nulle en dessin, alors que toi…

Sans le savoir, elle vient de m'inspirer une idée géniale. Je vais d'abord distribuer mes invitations à l'école. Ensuite, ma mère sera bien obligée d'organiser une fête.

Pet de cacahouète! La vie est parfaite! Je démarre les moteurs et je cours à toute vitesse. Aurélie reste plantée là, en grande conversation avec un lampadaire. Je suis déjà loin lorsque je l'entends s'époumoner:

— Frédéric! Attends-moi!

Je ralentis. Il y a des jours où je lui pardonne d'être une fille.

Après l'école, je fonce jusqu'à la maison et je m'enferme dans ma chambre. Sur ma porte, je colle une affiche : *Défandu d'entré sen permition.* Je dessine une tête de mort pour effrayer ma sœur. La petite peste passe son temps à m'espionner et à rapporter mes moindres faits et gestes à nos parents.

Sur le premier carton, je dessine un vélociraptor. Sur le deuxième, je trace la mâchoire géante d'un tyrannosaure. Quand ma mère m'appelle pour le souper, j'en ai terminé quatre. Je les dissimule entre mes deux matelas, près de ma collection de dinosaures miniatures.

J'ingurgite mon repas en trois secondes, puis je retourne à ma

table de travail. La porte de ma chambre s'ouvre discrètement. Je suis si concentré que je n'entends rien.

— Vous étudiez les dinosaures en classe?

Je sursaute. Mon cœur se fige. Je bredouille:

— Euh… oui, oui…

Ma mère prend un air soup-çonneux. Habituellement, je suis allergique aux devoirs. Chaque fois qu'il en est question, la même réaction se déclenche. Mes yeux commencent par picoter. Ensuite, ils deviennent larmoyants et je braille jusqu'à ce que ma mère abandonne. Les devoirs devraient être interdits aux enfants qui ne les supportent pas.

Ma mère toussote, mais garde le silence. Je retiens mon souffle. Au bout d'un moment, elle referme doucement la porte. Ouf! Je respire.

Ce soir-là, je ne me fais pas prier pour aller au lit. Je rêve à tous les amis que je vais me faire. Ils forment une immense pyramide qui grimpe jusqu'à la Lune. Au sommet, je découvre une montagne de cadeaux. Je les ouvre en laissant les rubans et les papiers d'emballage voltiger dans le ciel.

3

UNE CERVELLE
DE SAUTERELLE

Ce matin, je suis le premier à franchir le seuil de la classe. Je n'ai jamais eu si hâte d'aller à l'école. Je tâte pour la vingt-douzième fois mes huit cartons d'invitation. Ils sont toujours enfouis dans la poche secrète de ma veste. Étienne, l'écornifleur, s'approche :

— Qu'est-ce que tu presses sur ton cœur, Frédéric ? Une lettre d'amour pour Aurélie ?

Il n'y a pas moyen d'être ami avec une fille sans que la planète entière s'imagine que c'est notre fiancée. J'aurais envie d'installer Étienne au bout d'un hameçon et de l'offrir en pâture aux requins. Mais je ne vais pas m'emporter contre un vulgaire ver de terre. Alors, je grimpe sur mon pupitre et j'annonce, avec le plus grand calme possible :

— Ce sont des invitations pour mon anniversaire. Et elles sont réservées aux gens IN-TEL-LI-GENTS, cervelle de sauterelle !

Je lui fais une grimace pour qu'il comprenne bien qu'il n'appartient pas à cette catégorie d'individus. Mais il s'empresse de répliquer :

— Tu penses vraiment qu'on a envie d'aller s'ennuyer à ta fête, le porc-épic ?

Un doute traverse mon esprit. J'ai toujours cru qu'il fallait être prisonnier d'une bande de pirates sanguinaires ou en mission de sauvetage intersidérale pour refuser d'aller à une fête. Mais là, je ne sais plus. Et si aucun invité ne se présentait ? À part Aurélie, personne n'est venu jouer chez moi. J'ai peur de me retrouver seul.

Je fixe mes cartons d'invitation. Sur le papier, je jurerais que le tyrannosaure me fait un clin d'œil. Sans réfléchir, j'affirme :

— Il y aura un énorme dinosaure dans ma cour !

— Qu'on va manger en côtelettes grillées, se moque Étienne.

Plusieurs élèves sont rassemblés autour de nous. Je voudrais rattraper mes paroles, éviter de passer pour un menteur, ne pas perdre la face. Je me creuse les méninges et je ne trouve rien de mieux. Je bafouille :

— C'est... c'est...

Les secondes s'écoulent au ralenti. Je panique.

— ... un dinosaure gonflable.

Les mots ont franchi mes lèvres comme par magie. J'en suis le premier surpris. Un murmure d'excitation gagne peu à peu le groupe. Je reprends confiance. J'ajoute :

— Nous pouvons grimper sur son cou et glisser sur son dos !

Les questions affluent. Étienne a le bec cloué. Il ressemble à un poisson qui aurait avalé tout rond un ouaouaron. Je profite de ma victoire pour en remettre :

— Il est plus haut que le toit de ma maison !

L'effet est instantané. On se bouscule pour m'arracher un carton d'invitation. Je manque dégringoler en bas de mon pupitre, mais je me rattrape de justesse aux épaules de Josée, mon enseignante. Oups! Je ne l'avais pas vue entrer. Je lui adresse un sourire contrit.

À voir sa tête, je devine qu'il vaut mieux descendre de ma tribune. Je me coule en douce sur ma chaise pendant que chacun regagne sagement sa place. Dès que ma prof a le dos tourné, je vérifie le contenu de ma pochette secrète. Ce que j'y trouve me coupe le souffle.

Dans mes mains, je tiens mon DERNIER carton d'invitation. Tous les autres se sont envolés comme les aigrettes d'un pissenlit! Pet de cacahouète!

4

UNE BANDE DE
PATATES PILÉES

— **P**ourquoi es-tu allé raconter un truc pareil? me demande Aurélie.

Alors que la majorité des élèves est déjà sortie pour la récréation, je farfouille dans mon casier à la recherche de mes souliers de course.

— On avait pourtant décidé d'organiser ta fête chez moi, m'accuse Aurélie en évitant la rafale de vêtements que je projette par-dessus mon épaule.

Sous un amoncellement de vieux lunchs, je déniche l'un de mes souliers. Le second demeure introuvable.

— Tu dois avouer la vérité, m'ordonne-t-elle.

Le contenu de mon casier est maintenant dispersé autour de moi. Et aucun autre soulier en vue.

— Tu vas encore t'attirer des ennuis, poursuit mademoiselle-la-colonelle, sans faire le moindre geste pour m'aider.

À bout de nerfs, je lève les yeux vers elle. Ce que je vois me donne envie de l'épingler parmi une collection de tarentules séchées! Pet de cacahouète! Au-dessus de ma tête, tenu délicatement entre ses doigts par le lacet, mon soulier manquant oscille de gauche à droite!

Je me redresse d'un bond et je lui arrache ma chaussure des mains. Quand j'arrive enfin dans la cour de récréation, plusieurs élèves m'invitent à jouer avec eux. J'en oublie ma colère et je me laisse entraîner par Rémi vers le terrain de soccer.

Comme d'habitude, Charles et lui sont les chefs. Ils recrutent leurs joueurs à tour de rôle. Dès le début, Rémi me choisit pour faire partie de son équipe. Ma poitrine se gonfle de fierté.

J'aperçois alors Aurélie qui attend son tour, en retrait. Presque tous les joueurs ont été nommés. J'ai pitié d'elle. Je suggère à Rémi de l'accepter dans l'équipe. Mais il lui préfère Alex. Offusquée, Aurélie ramasse une poignée de roches et

la lance rageusement dans notre direction.

—Vous êtes tous des ratés, bande de patates pilées!

Je réussis à esquiver un projectile de justesse. Mais ce dernier termine sa course derrière moi, au beau milieu d'une fenêtre de classe. On entend un grand KLONK, suivi d'un petit POUF. Personne n'ose bouger. La vitre se fendille sous l'impact, mais tient bon. OUF... Toutefois, la colère de la surveillante éclate avec fracas:

—Aurélie Desmarais! Au bureau du directeur!

5

JAMBON, OIGNON
ET CORNICHON

— **F**rédéric! Viens m'ouvrir la porte!

J'ai trouvé le passage secret pour accéder au huitième tableau. Je pénètre enfin à l'intérieur de la forteresse.

— Frédéric, dépêche-toi, j'ai les mains chargées de paquets.

Une horde de chauves-souris fonce vers moi. J'appuie sur le bouton de la manette de jeu pour les pulvériser.

— Frédéric! Viens ici tout de suite!

Les chauves-souris explosent sous mes tirs. Je suis invincible. Soudain, deux gigantesques sacs d'épicerie masquent l'écran.

— MAMAN! Ce n'est pas vrai!

— Oui, MONSIEUR! rétorque ma mère.

En rechignant, je l'aide à transporter les provisions dans la cuisine. Je m'apprête à retrouver l'entrée du passage secret, quand elle ajoute, avec un large sourire:

— Il y a d'autres sacs dans la voiture.

Je grogne en mettant mes souliers. Ma mère a dévalisé l'épicerie! Il y a de quoi nourrir une tablée de géants affamés! Six douzaines de pains à hot-dogs, autant de paquets de saucisses, des sacs de croustilles à saveur de jambon, d'oignon et de cornichon.

— C'est fini, maintenant? Tu en as laissé pour les autres?

Ma mère s'esclaffe.

— Oui, mon grand. Mais ne te sauve pas trop vite. Ton père et moi avons pris une décision importante.

Son sourire disparaît et son front se plisse. Elle m'étudie sans dire un mot. Mon cœur se serre.

— Tu n'as reçu aucune mauvaise note pour ton comportement à l'école?

Je réfléchis à toute vitesse. Ma dernière bagarre remonte à plusieurs jours. Je me suis retenu de dire de mauvais mots. Même à ce débile d'Étienne. Je n'ai rien cassé.

C'est Aurélie qui a brisé la vitre. Ce n'est pas ma faute.

— Tu as bien écouté Josée? s'enquiert ma mère. Bien travaillé?

Je fais signe que oui, mais j'en suis de moins en moins sûr. Je me demande quelle bêtise on me reproche encore.

— Alors… tu peux inviter des enfants de ta classe pour ton anniversaire, m'annonce-t-elle joyeusement.

Pet de cacahouète! Je n'en reviens pas! Je me lance dans ses bras pour la remercier. Au même moment, la sonnerie du téléphone retentit. Je me précipite sur le combiné et je réussis à le décrocher avant ma sœur. Je reconnais la voix de Rémi au bout du fil.

— Frédéric? Je vais pouvoir venir à ta fête.

Je raccroche et j'exécute une triple pirouette arrière sur le divan. Mon corps est trop petit pour contenir ma joie. Je dois bouger ou je vais exploser!

À la fin de la soirée, sept personnes ont déjà confirmé leur présence pour mon anniversaire. Je n'ai jamais reçu autant d'appels de ma vie!

Le soir, en venant me border, ma mère me taquine :

— Ma petite fusée à réaction a pris des initiatives sans me consulter ?

Je rougis sous mes couvertures.

— Tu n'as pas oublié d'inviter Aurélie, j'espère ?

Pet de cacahouète ! Ma mère devine tout. Demain, je remets coûte que coûte mon dernier carton d'invitation à Aurélie.

6

AU SECOURS,
MON AMOUR !

Toute la journée, Aurélie m'évite, comme si je sentais la mouffette. C'est tout juste si elle ne plisse pas le nez en passant à mes côtés. À son air pincé, je devine qu'elle est jalouse de mes nouveaux amis.

— Aurélie, attends-moi !

Sans même se retourner, elle disparaît au fond du couloir. Étienne se poste à côté de mon casier.

— Une chicane d'amoureux? s'informe-t-il en faisant mine d'embrasser un courant d'air.

Je ne réponds pas. J'imagine que j'attache Étienne par la langue à la corde à linge. Ça le ferait taire un peu! J'essaie de l'ignorer, mais le zouave se met à geindre:

— Aurélie… Au secours, mon amour…

Là, il dépasse les bornes! La fumée me sort par les narines. En moins de deux, je lui balance un direct en plein dans le ventre. Il roule sur le plancher et fait semblant de se tordre de douleur. Mon poing reste suspendu dans les airs, comme s'il ne m'appartenait pas.

Je reprends mes esprits et je me penche vers lui:

— Je m'excuse, Étienne ! Je ne voulais pas te frapper ! Pardonne-moi.

Mais il hurle, comme si un troupeau d'éléphants en talons hauts lui était passé sur le dos ! Ses gémissements alertent Denis, le concierge.

J'essaie de me défendre :

— Ce n'est pas ma faute ! Je le jure ! C'est lui qui a commencé !

D'un geste de la main, Denis m'enjoint de me taire. Il agrippe Étienne par le fond de culotte, le remet debout et lui demande s'il doit appeler une ambulance. Le pitre cesse aussitôt de se plaindre.

Puis, il se tourne vers moi. Je fonds en larmes. Je hoquette :

— Ne le dis pas à… à… ma… mèèère. Je n'aurai plus de… de… fêêête !

Mes sanglots reprennent de plus belle. Je n'arrive pas à les endiguer. Denis attend que je me calme avant de proposer :

— Demain, après l'école, tu me donneras un coup de main pour le ménage.

Il ne me reste plus que les ordures à transporter à l'extérieur. J'enfile mon masque de plongée. C'est ce que j'ai trouvé de mieux pour me protéger des mauvaises odeurs.

En passant devant le bureau de monsieur Laterreur, le directeur, j'entends des éclats de voix. À cette heure, les corridors sont déserts. Je dépose mes sacs et je m'approche à pas de loup de la porte. Je distingue, par la fenêtre, un grand monsieur qui gesticule. Il m'apparaît de dos. J'ai l'impression de le connaître.

Tout à coup, la porte s'ouvre et je me retrouve nez à masque avec Aurélie, encadrée par ses parents. J'ouvre la bouche, mais la stupeur me rend muet. Je la referme bêtement.

— Frédéric, claironne le directeur, tu veux provoquer une inondation ? Ah ! Ah ! Ah !

Je retire mon masque. Je sors mon dernier carton d'invitation de ma poche. Il est tout chiffonné. Je le tends à Aurélie. Mais la grosse main poilue de son père s'en empare. Il me jette un regard courroucé avant de l'ouvrir.

— Pas question ! gronde son père. Aurélie n'ira nulle part, tant qu'elle n'aura pas remboursé les quatre-vingt-dix-sept dollars pour remplacer la vitre qu'elle a brisée, précise-t-il en empoignant sa fille par le bras. Et surtout pas pour fêter un petit vaurien qui ne lui attire que des ennuis!

Ces dernières paroles me transpercent le cœur. Je m'efface pour les laisser passer. Aurélie baisse la tête. Elle a perdu son air insolent.

Pet de cacahouète! Moi qui croyais que mes parents étaient sévères! Ils ont plutôt l'air de gentils lézards à côté de ce tyrannosaure!

7

FOIRE ET DÉBOIRE

Je quitte l'école en traînant les semelles. Rémi et Charles m'attendent à la sortie. Ils trépignent d'impatience sur leurs vélos.

— Frédéric, tu viens au parc avec nous? On a quelque chose à te montrer.

Je cours chercher ma bicyclette. Je devrais être heureux! Imaginez!

Je vais rejoindre mes nouveaux amis ! Mais je songe à Aurélie, et mon estomac se noue.

Parvenu à l'entrée du parc, je freine brusquement. Un peu partout, des hommes s'affairent à ériger différents manèges. La foire est de retour ! Je tente de repérer Rémi et Charles. Je les entends qui m'appellent. Je me retourne et je les aperçois enfin. Mais ce que je vois derrière eux me paralyse net.

— Est-ce celle qu'il y aura à ta fête ? me demande Rémi en pointant du doigt une immense structure gonflable.

Je me frotte les yeux. Je fais probablement un mauvais rêve. Devant moi se dresse un dinosaure ! Pet de cacahouète !

De retour chez moi, je me glisse dans ma cachette, sous l'escalier. Je me suis informé auprès du gardien. Avec 100 $, il est possible de louer cette structure gonflable.

Je compte et recompte mes économies. Le montant demeure désespérément le même : 39 $ et 67 ¢. Il me manque 60 $ et 33 ¢. Jamais je ne parviendrai à réunir cette somme avant ma fête !

Je donne une série de coups de poing dans le mur. Outch ! Ma sœur se met à pleurer.

— Fédéic !

J'articule pour la mille cinquante-douzième fois :

— Frrré-dé-rrric !

— Oui, Fédéic, il y a un temblement de tèèèè !

Je crie à travers la cloison :

— Mais non, Maude. C'est juste un dinosaure qui frappe le mur avec sa queue.

La pauvre andouille se remet à pleurer. Je sors pour la consoler avant que ma mère m'accuse, une fois de plus, de la terroriser. Ma sœur est tellement peureuse! C'est simple: elle a peur d'avoir peur!

Je propose de lui dessiner une ceinture de protection contre les dinosaures et les tremblements de terre. Elle essuie ses larmes et me suit docilement jusqu'à ma chambre.

J'ouvre le couvercle de mon pupitre pour saisir ma tablette à dessin. En le refermant, je découvre quelque chose d'inhabituel. Une enveloppe est épinglée sur mon babillard. Une enveloppe décorée d'un timbre de la Floride, avec mon nom écrit en lettres élégantes, suivi de mon adresse. Sûrement ma grand-mère! Elle m'envoie toujours une carte pour mon anniversaire.

Je me dépêche de l'ouvrir. Quelques billets glissent par terre. Je me penche pour les ramasser. Pet de cacahouète! Vous ne devinerez jamais! Il y a là trois billets de 20 $! Ma grand-mère est magicienne!

8

LA RANÇON

Je cours pour récupérer mes économies dans ma cachette. J'enfouis ma fortune dans l'enveloppe et j'enfourche mon vélo. Je retourne au parc. Je n'entends même pas ma mère qui demande :

— Frédéric ! Où vas-tu ?

Je pédale sans faire d'efforts. Un souffle d'espoir fou me transporte.

J'imagine l'immense dinosaure dans ma cour. Je me hisse au sommet de sa tête. Tous les invités m'applaudissent. Je suis un héros!

Quand j'immobilise ma bicyclette, je suis… chez Aurélie! Quel étourdi! L'habitude m'a sans doute guidé jusqu'ici. Je m'apprête à rebrousser chemin, quand la voiture de son père s'engage dans l'entrée de la maison.

Il sort de son véhicule. Fait claquer la portière. Se dirige à pas pesants vers sa demeure. J'ai soudain la vision d'une Aurélie menottée à son lit. Prisonnière à jamais de son redoutable père.

Je dois la sauver! Je m'élance d'un bond vers le monstre, et m'armant de courage, je lui tends l'enveloppe contenant tout mon avoir.

— C'est… c'est pour Aurélie.

Il empoche la rançon sans y jeter un coup d'œil. Cloué sur place, j'attends qu'il libère sa fille. Mais il ne semble pas se douter de ce qu'il y a dans l'enveloppe. Du revers de la main, il me chasse comme un moustique. Je m'enfuis sans demander mon reste.

De retour chez moi, j'entrevois les conséquences de mon geste fou. Pet de cacahouète! Maintenant que j'ai donné toute ma fortune pour réparer la faute d'Aurélie, je peux dire adieu à mon dinosaure. Mes invités sauront que j'ai menti, je perdrai mes nouveaux copains, et ma fête sera un désastre.

Pourvu qu'Aurélie redevienne mon amie!

En m'engouffrant dans la classe ce matin, je cherche anxieusement Aurélie. Elle est là, près d'un attroupement formé par Rémi, Charles et plusieurs autres. Je galope vers eux. Mais les paroles que j'entends me pétrifient.

—… on a vu le dinosaure à la foire!

—Il est exactement comme Frédéric l'a décrit!

Je me rapproche du groupe. La minute de vérité est arrivée. J'ai chaud. Je voudrais revenir en arrière, effacer ce que j'ai dit, rayer mon anniversaire du calendrier. Mais il est trop tard. Je dois faire face à mon mensonge et tout avouer. Je me racle la gorge :

— J'ai inventé… n'importe quoi. Il n'y aura pas…

La voix me manque. Je sens déjà leurs reproches me transpercer. Je me dégonfle comme un ballon. Ou plutôt, comme un dinosaure gonflable. Bientôt, je ne serai plus qu'un petit bout de plastique vidé de son air. Un petit bout de rien du tout. Sans ami.

Contre toute attente, Aurélie vole à mon secours.

— … il n'y aura pas…

Elle hésite un peu, cherche ses mots avant d'enchaîner :

— ... de mauvaise surprise!

Je la dévisage, stupéfait. Aurélie me prend à part. Elle me remet une enveloppe que je reconnais aussitôt. Pet de cacahouète! Tout n'est pas perdu!

9

FRISSONS
ET PAPILLON

Une joyeuse effervescence règne autour de moi. J'entends des éclats de voix, des rires. Un haut-parleur diffuse une musique entraînante. Je trépigne d'impatience.

— Je peux l'enlever maintenant ?

Après un moment qui me paraît durer une éternité, ma mère accepte enfin de retirer le bandeau qui, jusque-là, m'empêchait de voir. Je cligne des paupières.

Sur le coup, je ne distingue rien. Puis, mes yeux s'habituent à la lumière. Ils se posent un peu partout, sans s'arrêter, à la recherche du dinosaure. Ils font rapidement le tour de la cour, en vain. Je les ferme et je les ouvre de nouveau. Toujours aucune trace du dinosaure.

Mes lèvres tremblent. Je n'arrive pas à cacher ma déception. J'ai pourtant remis l'argent à mes parents! Aurélie était d'accord! On leur a tout expliqué en détail. Ils avaient promis de régler ça!

Ma mère se penche vers moi, me serre dans ses bras. Puis, elle murmure à mon oreille:

— Frédéric, j'ai informé tes invités qu'il n'y aurait pas de dinosaure. Ils ont choisi de venir pour toi. Non pour un tyrannosaure!

Ses paroles produisent une grande secousse à l'intérieur de moi. Un raz-de-marée qui me brouille la vue. J'essuie mes larmes du revers de la main.

Je les contemple alors : Rémi, Charles, Inuck, Sarah, Joanie, Alex et James. Ils sont là. Pour moi. Mes premiers amis !

Je cours vers eux et je les serre dans mes bras. On tombe les uns sur les autres. On se tiraille. Je roule sur le dos, j'embrasse des pieds. Je ris et je pleure à la fois.

Mon père met fin à la mêlée en proposant :

— Qui veut un hot-dog ?

On se précipite vers la table à pique-nique. Les émotions, ça creuse l'appétit !

À cet instant, la sonnette de l'entrée retentit. Mes parents s'adressent un sourire complice avant de me demander d'aller répondre.

Une ombre imposante se profile à travers la vitre de la porte. Je tourne lentement la poignée et je reconnais le père d'Aurélie. Ma gorge se contracte.

Il s'efface pour laisser passer sa fille. Je saute de joie. Il grogne, à l'adresse d'Aurélie :

— Ta punition n'est levée que pour une heure. Je reviens te chercher ici. Ne me fais pas attendre.

Et, se tournant vers moi :

— Tu es généreux, mon garçon. Il n'aurait pas été juste d'empêcher Aurélie de venir à ta fête.

Son compliment me va droit au cœur. Je le remercie et je lui tends la main. Elle disparaît à l'intérieur de sa grosse patte velue. Étrangement, sa poigne est douce. Il part et nous observons sa voiture qui tourne au coin de la rue.

Aurélie se dandine. Puis, timidement, elle se hisse sur la pointe des orteils. Je rougis. Son baiser est aussi léger qu'un papillon. Je frissonne.

Si Mathieu nous voyait à cet instant, il dirait sûrement une idiotie à propos de l'amour ou un autre truc dégueulasse sur les filles, et je me sentirais obligé de fanfaronner moi aussi. Heureusement, il n'est pas là.

Alors, Aurélie peut bien m'embrasser, je sais que cela restera entre nous…

TABLE DES MATIÈRES

1. À quatre-vingt-quarante ans 9

2. Une idée de fille 15

3. Une cervelle de sauterelle .. 23

4. Une bande de patates pilées 29

5. Jambon, oignon et cornichon 35

6. Au secours, mon amour ! 41

7. Foire et déboire 47

8. La rançon.............................. 53

9. Frissons et papillon 59

Remerciements
à Nicole Deslandes, pour ce
qu'elle a semé en moi,
et parce qu'aujourd'hui encore,
elle continue de veiller
sur sa croissance
avec sagesse et amour.

Geneviève Piché

Pour moi, un anniversaire sans ami, c'est comme un cornet sans crème glacée. Je suis heureuse lorsque je suis entourée des gens que j'aime.

Alors, quand je rencontre dans ma classe un petit Frédéric privé d'amis, j'ai le cœur déchiré. J'ai voulu te le faire connaître pour que, grâce à toi, il soit moins seul…

Collection Sésame

1. **L'idée de Saugrenue**
   Carmen Marois

2. **La chasse aux bigorneaux**
   Philippe Tisseyre

3. **Mes parents sont des monstres**
   Susanne Julien
   (palmarès de la Livromagie 1998/1999)

4. **Le cœur en compote**
   Gaétan Chagnon

5. **Les trois petits sagouins**
   Angèle Delaunois

6. **Le Pays des noms à coucher dehors**
   Francine Allard

7. **Grand-père est un ogre**
   Susanne Julien

8. **Voulez-vous m'épouser, mademoiselle Lemay?**
   Yanik Comeau

9. **Dans les filets de Cupidon**
   Marie-Andrée Boucher Mativat

10. **Le grand sauvetage**
    Claire Daignault

11. **La bulle baladeuse**
    Henriette Major

12. **Kaskabulles de Noël**
    Louise-Michelle Sauriol

13. **Opération Papillon**
    Jean-Pierre Guillet

14. **Le sourire de La Joconde**
    Marie-Andrée Boucher Mativat

15. **Une Charlotte en papillote**
    Hélène Grégoire (prix Cécile Gagnon 1999)

16. **Junior Poucet**
    Angèle Delaunois

17. **Où sont mes parents?**
    Alain M. Bergeron

18. **Pince-Nez, le crabe en conserve**
    François Barcelo

19. **Adieu, mamie!**
    Raymonde Lamothe

20. **Grand-mère est une sorcière**
    Susanne Julien

21. **Un cadeau empoisonné**
    Marie-Andrée Boucher Mativat

22. **Le monstre du lac Champlain**
    Jean-Pierre Guillet

23. **Tibère et Trouscaillon**
Laurent Chabin

24. **Une araignée
au plafond**
Louise-Michelle Sauriol

25. **Coco**
Alain M. Bergeron

26. **Rocket Junior**
Pierre Roy

27. **Qui a volé les œufs?**
Paul-Claude Delisle

28. **Vélofile et
petites sirènes**
Nilma Saint-Gelais

29. **Le mystère des nuits
blanches**
Andrée-Anne Gratton

30. **Le magicien ensorcelé**
Christine Bonenfant

31. **Terreur, le Cheval
Merveilleux**
Martine Quentric-Séguy

32. **Chanel et Pacifique**
Dominique Giroux

33. **Mon oncle Dictionnaire**
Jean Béland

34. **Le fantôme du lac Vert**
Martine Valade

35. **Niouk, le petit loup**
Angèle Delaunois

36. **Les visiteurs
des ténèbres**
Jean-Pierre Guillet

37. **Simon et Violette**
Andrée-Anne Gratton

38. **Sonate pour un violon**
Diane Groulx

39. **L'affaire Dafi**
Carole Muloin

40. **La soupe aux vers
de terre**
Josée Corriveau

41. **Mes cousins
sont des lutins**
Susanne Julien

42. **Espèce de Coco**
Alain M. Bergeron

43. **La fille du roi Janvier**
Cécile Gagnon

44. **Petits bonheurs**
Alain Raimbault

45. **Le voyage en Afrique
de Chafouin**
Carl Dubé

46. **D'où viennent
les livres?**
Raymonde Painchaud

47. **Mon père
est un vampire**
Susanne Julien

48. **Le chat
de Windigo**
Marie-Andrée Boucher
Mativat

49. **Jérémie et le vent
du large**
Louise-Michelle Sauriol

50. **Le chat qui mangeait
des ombres**
Christine Bonenfant

51. **Le secret de Simon**
Andrée-Anne Gratton

52. **Super Coco**
Alain M. Bergeron

53. **L'île aux loups**
Alain Raimbault

54. **La foire aux bêtises**
Marie-Élaine Mineau

55. **Yasmina et le petit coq**
Sylviane Dauchelle

56. **Villeneuve contre Villeneuve**
Pierre Roy

57. **Arrête deux minutes !**
Geneviève Piché

58. **Pas le hockey ! Le hoquet. OK ?**
Raymonde Painchaud

59. **Chafouin sur l'île aux brumes**
Carl Dubé

60. **Un espion dans la maison**
Andrée-Anne Gratton

61. **Coco et le docteur Flaminco**
Alain M. Bergeron

62. **Le gâteau gobe-chagrin**
Maryse Dubuc

63. **Simon, l'as du ballon**
Andrée-Anne Gratton

64. **Lettres de décembre 1944**
Alain M. Bergeron

65. **Ma tante est une fée**
Susanne Julien

66. **Un jour merveilleux**
Alain Raimbault

67. **L'enfant des glaces**
Yves Ouellet

68. **Les saisons d'Émilie**
Diane Bergeron

69. **Les chaussettes de Julien**
Chantal Blanchette

70. **Le séducteur**
Hélène Cossette

71. **Les gros rots de Vincent**
Diane Bergeron

72. **Quel cirque, mon Coco !**
Alain M. Bergeron

73. **J comme toujours**
Raymonde Painchaud

74. **Vol de gomme, vive la science !**
Raymonde Painchaud

75. **Un été dans les galaxies**
Louise-Michelle Sauriol

76. **La deuxième vie d'Alligato**
Maryse Dubuc

77. **Des crabes dans ma cour**
Andrée-Anne Gratton

78. **L'envahisseur**
Diane Groulx

79. **Une sortie d'enfer !**
Marie-Andrée Boucher Mativat

80. **La télévision ? Pas question !**
Sylviane Thibault

81. **Le sobriquet**
Louise Daveluy

82. **Quelle vie de chat !**
Claudine Paquet

83. **Le père Noël perd
le Nord**
Marie-Andrée Boucher
Mativat

84. **Le coco d'Amérique**
Alain M. Bergeron

85. **La saga de Crin-Bleu**
André Jacob

86. **Coups de cœur
au pôle Nord**
Marie-Andrée Boucher
Mativat

87. **La grande peur
de Simon**
Andrée-Anne Gratton

88. **Un Pirloui,
des Pirlouettes**
Raymonde Painchaud

89. **Pierrot et l'été
des salamandres**
Lyne Vanier

90. **Les esprits de la forêt**
Isabelle Larouche

91. **Chaud, chaud
le pôle Nord**
Marie-Andrée Boucher
Mativat

92. **Mon chien est invisible**
Susanne Julien

93. **Photomaton**
Gaétan Chagnon

94. **Chanel et
ses moussaillons**
Dominique Giroux

95. **Le voyage secret**
Louise-Michelle Sauriol

96. **Ça va être ta fête**
Geneviève Piché